Gwich a Draig

Argraffiad cyntaf: 2002

Lluniau: Gini Wade

ISBN: 0 86243 622 2

Cyhoeddwyd ac argraffwyd yng Nghymru gan
Y Lolfa Cyf., Talybont, Ceredigion SY24 5AP
e-bost ylolfa@ylolfa.com
gwefan www.ylolfa.com
ffôn (01970) 832 304
ffacs 832 782
isdn 832 813

Gwich a Draig

ANDREW FUSEK PETERS
lluniau gan Gini Wade

Roedd Draig a Gwich yn byw mewn coedwig yn bell, bell i ffwrdd.
Roedd Draig yn wyrdd fel dail y coed.
Roedd Gwich y llygoden yn frown fel cneuen.

Byddai'r ddau'n chwarae gyda'i gilydd drwy'r dydd bob dydd,
Draig mawr a Gwich fach, fach.
Pan oedd Draig yn chwerthin, roedd yn swnio fel taran.
Roedd sŵn chwerthin Gwich fel glaw mân.

Roedd y ddau yn chwarae mig gyda'r gwynt yn y coed,
ac yn sgipio drwy we pry cop.
Ac yn y tywydd oer gallai Draig
gynnau tân gyda'i drwyn.

Bob dydd roedden nhw'n yfed sudd mwyar duon i ginio,
ac yn bwyta cacenni llus bach a chawl cnau.

Ar ôl cinio un dydd rhuodd Draig,
"Rydw i wedi syrffedu! Tyrd am antur efo fi!"
"Dyna syniad da," meddai Gwich,
"ond mae 'nghoesau bach i wedi blino!"

Lledodd Draig ei adenydd mawr gwyrdd,
a dringodd Gwich i'w boced.
O'r fan honno gallai Gwich weld popeth
wrth iddyn nhw hedfan yn uchel yn yr awyr las.
O fewn dim, roedd y ddau'n uchel, uchel uwchben y coed.

Bu'r ddau yn hedfan drwy'r dydd,
dros afonydd, mynyddoedd a choedwigoedd dieithr.
Gwibiodd yr amser, a chwap roedd yr haul
yn barod am ei wely.

Aeth yr awyr yn dywyll – yn ddu fel glo,
a'r sêr fel fflamau bach.
"Draig!" meddai llais bach Gwich,
"rydw i eisiau mynd gartre."
Ond roedd Gwich a Draig ar goll.

Uwch eu pennau gwenodd Madam Lleuad arnynt.
"Ydych chi'ch dau fach wedi colli'ch ffordd?"
gofynnodd yn glên.
"Do!" meddai Draig.
"Mae popeth yn edrych yr un peth!"
"O, peidiwch â phoeni dim," meddai hi.

Estynnodd Madam Lleuad i'w bag
a thynnu ruban arian allan ohono.
Gollyngodd un pen a dawnsiodd y ruban drwy'r awyr
gan droi'n llwybr gloyw wedi'i addurno â sêr.
"Mi fyddwch chi adref mewn fflach," meddai hi.
"O! Diolch yn fawr iawn i chi," meddai Gwich a Draig,
ac i ffwrdd â nhw adref gan ddilyn y llwybr arian bob cam.

"Rydan ni gartre!" meddai Gwich yn hapus.
I fyny, fyny ar frig coeden dderwen fawr oedd eu cartref.
Dringodd y ddau y grisiau i'w tŷ coed,
yn uwch ac yn uwch
nes eu bod nhw bron â chyffwrdd yr awyr.

Yng nghrombil eu tŷ coed
roedd pwll disglair, ewynnog.
Cafodd Gwich a Draig fàth dan olau'r sêr!
Roedd y dŵr yn gynnes braf
a gwibiai pysgod aur drwyddo fel tân gwyllt.
Sblash! Neidiodd Gwich i mewn i'r pwll
tra gorweddai Draig yn chwythu swigod.

Roedd y ddau yn crynu wrth ddod allan o'r dŵr cynnes
a dyma nhw'n brysio i wisgo pyjamas o ddail
a gwe pry cop.

Trwy'r drws agored ym moncyff y goeden dderwen,
gallai Gwich a Draig weld tân braf yn eu disgwyl.
Trwy'r ffenest roedd Madam Lleuad yn gwenu'n garedig.

Eisteddai Dewyrth Draig mewn cadair siglo ger y tân a llyfr yn ei ddwylo, yn barod i ddarllen stori i'r ddau.
"Ble rydych chi wedi bod mor hir?
Ro'n i'n poeni amdanoch chi," meddai.
"Mi fuon ni ar goll, ond dangosodd Madam Lleuad y ffordd gartre inni," meddai Gwich.
"Wel, chwarae teg iddi hi," meddai yntau, cyn dechrau darllen.

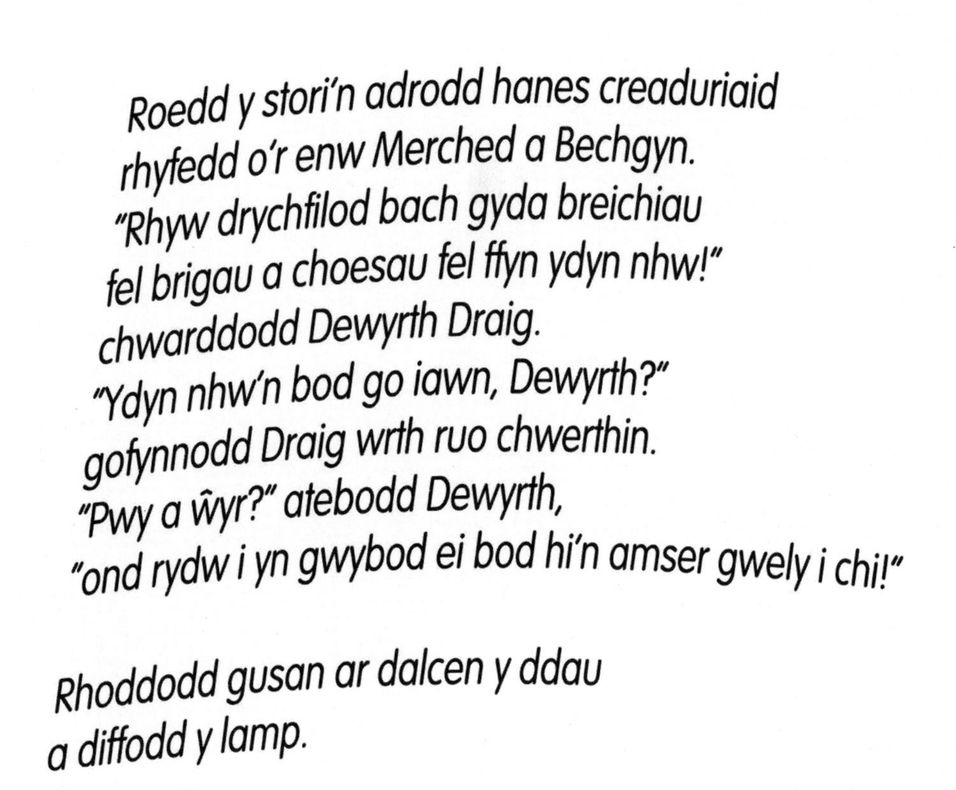

Roedd y stori'n adrodd hanes creaduriaid
rhyfedd o'r enw Merched a Bechgyn.
"Rhyw drychfilod bach gyda breichiau
fel brigau a choesau fel ffyn ydyn nhw!"
chwarddodd Dewyrth Draig.
"Ydyn nhw'n bod go iawn, Dewyrth?"
gofynnodd Draig wrth ruo chwerthin.
"Pwy a ŵyr?" atebodd Dewyrth,
"ond rydw i yn gwybod ei bod hi'n amser gwely i chi!"

Rhoddodd gusan ar dalcen y ddau
a diffodd y lamp.

Swatiodd Gwich a Draig yn eu gwelyau cynnes.
Y tu allan roedd y sêr yn chwarae hop, sgip a naid yn yr awyr tywyll a'r coed yn sibrwd straeon arswyd yn y nos.
Am ddiwrnod bendigedig!
Aeth Gwich a Draig i gysgu.
Tybed beth fyddai eu hanes yfory?

Dragon and Mousie

Page 4

Dragon and Mousie lived in a far away forest.
Dragon was green
like the leaves on the tree.
Mousie was as brown as a walnut.

Page 6

Together, they played all day long,
Dragon so big
and Mousie so small.
When Dragon laughed, it sounded like thunder.
When Mousie giggled, it sounded like rain.

Page 9

They played hide and seek with the wind
in the trees, and skipping games
with spiders' webs.
When they grew cold,
Dragon lit a fire with his nose!

For lunch, they drank blackberry juice
and dined on hazelnut pie with acorn soup.

Page 10

One day, after lunch, Dragon roared:
"I'm bored! Come on, let's go exploring!"
"Yes please!" squeaked Mousie,
"but my little legs are tired!"

So Dragon unfolded his great green wings
and Mousie climbed into his pocket.
She peeped out over the edge
as they soared into the sky.
Soon, they were high above the trees.

They flew for hours over rivers, mountains
and strange new forests.
Time flew with them, and the sun
began to get ready for bed.

Page 12

Now, the night grew dark as coal,
with little flames for stars.
"Dragon!" squeaked Mousie in a tiny
voice, "I want to go home!"
But Dragon and Mousie were lost.

Far up in the heavens,
Mrs Moon smiled down with her big,
beaming face.
"Have you lost your way, my dears?"
she tinkled.
"Oh yes!" sighed Dragon.
"Suddenly everywhere looks the same!"
"Don't you worry yourselves,
I have just the thing!" sang Mrs Moon.

Page 14

Then she reached into her handbag and pulled out
a silver ribbon.
She shook it out across the sky
and it turned into a path of moonbeams
with stars to light their way.
"You'll be home in a twinkle," she said.
Dragon and Mousie waved goodbye
and followed the path all the way back.

Page 16

"We're home!" squealed Mousie with delight.
Home was high in an old oak tree.
They climbed up the stairs of their tree house,
up and up, until they could
almost touch the sky.

Page 19

High in a hollow of the oak
was a steaming silver pool.
It was bathtime under the stars!
The water was deliciously warm.
Goldfish darted around like little lamps.
Mousie jumped into the pool with a splash
and Dragon blew big bubbles.

Page 21

After their bath, they shivered as they
put on pyjamas woven from leaves
and spider thread.

A door opened in the trunk of the tree.
In the corner of their bedroom, a fire
glowed. Under the eaves, a window
let in the smile of Mrs Moon.

Page 23

Grandragon Treetop sat in an armchair by the fire,
ready to read them a bedtime book.
"I was worried. I wondered where you were!"
he said.
"We got lost and Mrs Moon showed us the way
home," squeaked Mousie.
"I am sure she did!" said Grandragon
and began to read.

Page 24

The bedtime book told of creatures
called Boys and Girls.
"They are little animals with two twigs
for arms and two sticks for legs!"
laughed Grandragon.
"They don't exist really? Do they?"
roared Dragon.
"Who knows?" said Grandragon.
"But I do know it's time for bed!"

He tucked them in, blew out the lamp
and damped the fire down.

Page 26

Dragon and Mousie snuggled into their
warm beds.
Outside, shooting stars played hopscotch in the
Milky Way and the trees whispered spooky stories in
the night.

What a wonderful day!
Dragon and Mousie drifted off to sleep.
Who knows what adventures would happen
tomorrow?

Y gyfres boblogaidd o lyfrau gwreiddiol i blant a grëwyd yng Nghymru.

Allan eisoes:

1. Morus yr Ystlum
Sheelagh Thomas-Christensen
0 86243 396 7

2. Gloria a'r Berllan Bupur
David Greenslade
0 86243 415 7

3. Dewi'r Llyfrbryf
Wayne Denfhy
0 86243 391 6

4. Peiriant y Tywydd
Catrin Evans
0 86243 412 2

5. Iona'r Iâr
Dylan Thomas
0 86243 434

6. Deio a'i Drwmped
Leon Balen
0 86243 463 7

7. Carwyn a'r Anrheg Nadolig
Mari Gwilym
0 86243 483 1

8. Arfon y Celt
Alan Rogers
0 86243 522 6

9. I Wlad yr Hwli Dwlis
Joan Ferrero
0 86243 560 9

10. Oli Olew
Catrin Evans
0 86243 573 0

11. Twinc, Cawr yr Ynys Binc
Fiona Wynn Hughes
0 86243 531 5

Ar gael yn Saesneg:

Dai the Dragon-keeper
Alan Rogers
0 86243 562 5

Wena and the Weather Machine
Catrin Evans
0 86243 561 7

Dragon and Mousie
Andrew Fusek Peters
0 86243 650 8

Am restr gyflawn o'n llyfrau plant (a llyfrau eraill) mynnwch gopi o'n Catalog newydd, rhad, llawn-lliw – neu hwyliwch i:
www.ylolfa.com